EPLES

Cyfrol o Farddoniaeth

gan

D. GWENALLT JONES

GWASG GOMER

LLANDYSUL

ARGRAFFIAD CYNTAF—GORFFENNAF 1951
AIL ARGRAFFIAD—IONAWR 1960
TRYDYDD ARGRAFFIAD—EBRILL 1978

ARGRAFFWYD GAN J. D. LEWIS A'I FEIBION CYF.,
GWASG GOMER, LLANDYSUL

I
ANEIRIN TALFAN ;
GRIFFITH JOHN WILLIAMS

Lluniwyd y cerddi hyn rhwng 1943 a 1951. Ychydig ohonynt a argraffwyd, (a diolchaf i olygydd *Y Faner,* golygydd *Y Tyst,* golygydd-ion *Y Llenor,* golygydd *Y Llan* a golygyddion eraill am eu caniatâd i'w cynnwys yn y gyfrol hon), gan na chefais hamdden i'w gorffen. Rhaid oedd mynnu, o'r diwedd, egwyl i'w gorffen a'u casglu, a'u gyrru i'r Wasg cyn colli pob awydd i'w hargraffu. Diolchaf i Wasg Gomer, Llandysul, am fentro eu cyhoeddi, â phris papur a rhwymiad mor uchel.

CYNNWYS

Y MEIRWON

BYDD dyn wedi troi'r hanner-cant yn gweld yn lled
glir
  Y bobl a'r cynefin a foldiodd ei fywyd e',
A'r rhaffau dur a'm deil dynnaf wrthynt hwy
    Yw'r beddau mewn dwy fynwent yn un o bentrefi'r
    De.

Wrth yrru ar feisiglau wedi eu lladrata o'r sgrap
  A chwarae Rygbi dros Gymru â phledrenni moch,
Ni freuddwydiais y cawn glywed am ddau o'r
    cyfoedion hyn
  Yn chwydu eu hysgyfaint i fwced yn fudr goch.

Ein cymdogion, teulu o Ferthyr Tydfil oeddent hwy,
  ' Y Merthyron ' oedd yr enw arnynt gennym ni,
Saethai peswch pump ohonynt, yn eu tro, dros berth
    yr ardd
  I dorri ar ein hysgwrs ac i dywyllu ein sbri.

Sleifiem i'r parlyrau Beiblaidd i sbio yn syn
  Ar olosg o gnawd yn yr arch, ac ar ludw o lais ;
Yno y dysgasom uwch cloriau wedi eu sgriwio cyn eu
    pryd
  Golectau gwrthryfel coch a litanïau trais.

Nid yr angau a gerdd yn naturiol fel ceidwad cell
  Â rhybudd yn sŵn cloncian ei allweddi llaith,
Ond y llewpart diwydiannol a naid yn sydyn slei,
  O ganol dŵr a thân, ar wŷr wrth eu gwaith.

Yr angau hwteraidd : yr angau llychlyd, myglyd,
    meddw,
  Yr angau â chanddo arswyd tynghedfen las ;
Trôi tanchwa a llif-pwll ni yn anwariaid, dro,
  Yn ymladd â phwerau catastroffig, cyntefig, cas.

Gwragedd dewrfud â llond dwrn o arian y gwaed,
  A bwcedaid o angau yn atgo tan ddiwedd oes,
Yn cario glo, torri coed-tân a dodi'r ardd
  Ac yn darllen yn amlach hanes dioddefaint Y Groes.

Gosodwn Ddydd Sul y Blodau ar eu beddau bwys
  O rosynnau silicotig a lili mor welw â'r nwy,
A chasglu rhwng y cerrig annhymig a rhwng yr
    anaeddfed gwrb
  Yr hen regfeydd a'r cableddau yn eu hangladdau
    hwy.

Diflannodd yr Wtopia oddi ar gopa Gellionnen,
  Y ddynoliaeth haniaethol, y byd diddosbarth a di-
    ffin ;
Ac nid oes a erys heddiw ar waelod y cof
  Ond teulu a chymdogaeth, aberth a dioddefaint dyn.

RYGBI

NID pentref ar fap Cymru oedd yr Allt-wen,
Nid oedd gan weithwyr wlad na phroletariat ffin,
Addolem ar ein deulin y fflam ar ben y stac,—
Fflam cyfiawnder byd a brawdoliaeth dyn.

Breuddwydiem drwy'r wythnos am ŵyl y Crysau
Coch,
A dyfod yn Sant Helen wyneb-yn-wyneb â'r Sais,
A gwallgofi pan giciai Bancroft ei gôl Gymreig
A sgorio o Dici Owen ei genedlaethol gais.

Y DIRWASGIAD

Nid egyr ystac ei hymbarél o fwg
    Fflam-ddolen uwch cwpan ein byd,
Nid â rhugldrwst y crân a sgrech yr hwterau
  Rhyngom ac arafwch yr uchelderau ;
    Y mae'r sêr wedi eu sgrwbio i gyd.

Ni ddisgyn mwrllwch ar y gerddi gerllaw
    Fel locustiaid Aifft newydd dyn,
  A mentra glaswelltyn a chwynnyn dyfu,
  A daw sipsiwn o ddefaid yn anamlach i lyfu
    Bwcedi'r tuniau samwn a sardîn.

Ailwynnir yr ewyn ar afon a nant,
    A chliria'r ysgúm oddi ar y cerrig brith,
  Haws canfod y brithyll yn y dyfroedd olewllyd,
  A'r llyswennod yn llithro rhag y fitrel drewllyd
    I ymyl y lan i dorchi eu nyth.

Ni chlywir y bore larwm y traed
    Na chwerthin bolwyn y llygaid y prynhawn ;
  Estron yw'r cil-dwrn yn y cypyrddau,
  A'r tai yn tocio'r bwyd ar y byrddau,
    A'r paent ar ddrws a ffenestr yn siabi iawn.

Surbwch yw'r segurdod ar gornel y stryd ;
    Gweithwyr yn trampio heb eu cysgod o le i le ;
  Daeth diwedd ar Eldorado'r trefi ;
  Tyllwyd y gymdogaeth ; craciwyd y cartrefi,
    Seiliau gwareiddiad a diwylliant y De.

CYMDOGION

'Rwy'n cofio am y cymdogion
   Yn golchi llestri a llawr,
A'm helpu yn seremonïau
   Yr angau mawr.

Llond ystafell o gysurwyr
   Yn sôn am eu tywydd garw,
A chodi cyn mynd adref
   I roi cip ar y marw.

Yr hen angau yn treiddio
   Trwy arian, swydd a gwaith,
A thrwy ludw'r crefyddau
   At ein clai elfennol, maith.

Comiwnyddiaeth ddiniwed Eden,
   Catholigrwydd y llun a'r ddelw,
A thân yr hen berthynas
   Rhwng barrau ein gratiau gwelw.

MORGANNWG

Yn y pentrefi peiriannol, proletaraidd,
    Lle'r oedd chwyrn y gantri a rhugldrwst y crân,
Lle'r oedd y gwaith cemi yn crafu'r gwddwg
    A gwrid ar yr wyneb o'r ffwrnais dân :
Yn y môr mechanyddol 'r oedd teuluoedd dyn
    A'r Eglwysi fel ynysoedd glân.

Nid oedd y gweithiwr ond llythyren a rhif
    Yn rhyw fantolen anghyfrifol draw ;
Ni osodai ei ddelw ar lif y metel ;
    Marw oedd cynnyrch ei law :
Iechyd fin-nos oedd twlc mochyn a gardd
    A thrin morthwyl a chaib a rhaw.

Nid oedd yr un ysbryd yn troi eu holwynion,
    Nac acen Y Crist ar dafod y fflam,
Ac nid oedd pâr o Ddwylo tyllog
    Y tu ôl i'r dwylo yn llanw tram :
Canai personau mewn cyngerdd ac Ysgol Gân
    ' All men, all things ' a ' Worthy is the Lamb '.

Diffoddai'r hwter fflach yr hiwmor
    A tharo anffyddiaeth a Sosialaeth yn syn ;
A dirwynai'r angladdau yn dawel dywyll
    Rhwng taranau'r gwaith dur a'r gwaith tún :
Codent o'u beddau ar rym yr emyn
    Heibio i'r staciau yn eu gynau gwyn.

COLOMENNOD

Bugeiliai'r gweithwyr eu clomennod gyda'r hwyr,
   Wedi slafdod y dydd, ar y Bryn,
Pob cwb â'i lwyfan yn nhop yr ardd
   Yn gollwng ei gwmwl gwyn.

Fe'u gyrrid i Ogledd Cymru ac i Loegr
   A'u gollwng o'r basgedi i'r ne',
Ond dychwelent o ganol y prydferthwch pell
   At ein tlodi cymdogol yn y De.

Amgylchynent yn yr wybr y pileri mwg
   Gan roi lliw ar y llwydni crwm ;
Talpiau o degwch ynghanol y tawch ;
   Llun yr Ysbryd Glân uwch y Cwm.

Yr Ysbryd Glân yn 'santeiddio'r mwg,
   A throi gweithiwr yn berson byw,
Y gyfundrefn arian yn treiglo yn nhrefn gras
   A'r Undebau yn rhan o deulu Duw.

Y MORGRUG

A FLONYDDAIS ddoe, wrth lanhau llwybr yr ardd,
   Ar fyd o forgrug wrth fôn dant-y-llew ;
Sefais, pwyso ar y bâl, a'u gwylio hwy
   Yn gwau drwy ei gilydd yn dew.

Rhyw weriniaeth ddiwyd, ddiwydiannol oeddent
      hwy,
      Heb ganddynt yr un gorffennol, na dyfodol
      ychwaith ;
Dygnu a rhygnu arni fel gweithwyr y De
   I allforio am y doleri hollalluog eu gwaith.

Ni welais yr un Rhyddfrydwr na'r un Radical pinc,
      Na'r un Anghydffurfiwr nac Anarchydd yn eu
      plith ;
Cymdeithas glos, glwm wedi ei phlanio yn berffaith
      gaeth
      Gan un o dechnegwyr heddychol y Chwith.

Dig oeddent am imi godi'r tywyllwch o dan y chwyn,
   Hanner tywyllwch tom-tom greddf a rhaid ;
Ni adawent i berson yr haul dreiddio atynt hwy
   I swbwrbia Barabasaidd yr hil a'r haid.

Mynnwn roddi iddynt dasg y morgrug llenyddol gynt,
   Casglu hadau llin ym mhriodas y ferch,
Gwerin gydweithredol yn drysu cynllwynion y Cawr,
   Gwŷr yn gwasanaethu yn hen sacramentau serch.

Y PAUN

TARFASOM ar dy gymdeithas bendefigaidd,
   Yr hen baun siabi ar lawnt y Plas,
Pwy yw'r rhapsgaliwns hyn a ddaeth i'th gynefin ?
'R wyt ti yn sbio yn ysgornllyd o gas.

Talasom swllt am gael gweled y darluniau,
Y dodrefn, y pais-arfau a phob peth ;
Rhaid oedd i'th feistr droi ei Blas yn amgueddfa
I ysgafnhau dipyn ar faich y dreth.

Ni ddaw'r un Dafydd Nanmor mwy i'th yrru
Yn llatai claerbais at ryw Wen o'r Ddôl ;
Yn ein hoes ni, oes y dyn cyffredin,
Y mae dy falchder mor annemocrataidd o ffôl.

Rhaid iti roddi dy orsedd i adar y Chwith,
Y dryw bach, y robin goch a'r wennol,
A dianc â'th enfys o adenydd am byth
I ganol ysblander rhamantus y gorffennol.

"SUL Y FFERM"

A WNEI Di gofio, O Grist, am amaethwyr Cymru ?
   Hen greaduriaid digon tlawd a balch ;
Ti wyddost, mi wn, fod Dy holl lawogydd
   Yn sugno o'r pridd y ffosffad a'r calch.

Estynnodd dau Ryfel gynefin yr erydr
   A chribodd yr ogedi dir newydd sbon ;
Y mae'r gwair fel gwallt gwyrdd a'r ŷd fel llywethau
   Lliw ysguthan ar wegil bryn a bron.

Maddau inni mewn heddwch am anghofio ein daear,
   Am ddienyddio Dy bridd, am ladd ei lun a'i liw ;
A Thithau wedi rhoddi cymaint o'th gyfoeth a'th
      brydferthwch
   Yn y cornelyn o'r byd lle'r ydym ni'n byw.

Ffeiriasom ein gwladwyr, ein ffermydd a'n tyddynnod
   Am y Mamon diwydiannol a'r bara rhad,
Ac y mae'r peithiau pell yn anghenfil llychlyd
   A'n diwylliant a'n crefydd mewn Sain Ffagan o
      wlad.

Rhaid rhoddi yn ôl i'r ddaear onest
   Am a gawsom o'i dwylo cyfiawn hi ;
Maddau i ni am sarnu Dy greadigaeth ;
   Maddau ein materoldeb a'n hunanoldeb ni.

Y mae digonedd o galch yn ein hodynau
    I ladd y surni yn y priddoedd i gyd ;
Dysg ein ffermwyr i ddwyn beichiau ei gilydd
    Am i Ti ddwyn holl feichiau'r byd.

A bydd yn Dy greadigaeth Di fwy o gynghanedd,
    Darn o'r simffoni sydd yn Y Gair ;
Miwsig y neithiorau yn ystafelloedd y gwenith,
    Cerddoriaeth priodasau gwyntog y gwair.

Yng ngenesis y byd y lluniaist Ti'r priddoedd,
    Ac o bridd hefyd y creaist Ti ddyn,
Ac adferaist Natur a'r hwsmonaeth a'r tractorau
    Yn Dy Swper wrth fendithio'r bara a'r gwin.

RHYDCYMERAU

Plannwyd egin coed y trydydd rhyfel
    Ar dir Esgeir-ceir a meysydd Tir-bach
Ger Rhydcymerau.

'Rwy'n cofio am fy mam-gu yn Esgeir-ceir
Yn eistedd wrth y tân ac yn pletio ei ffedog ;
Croen ei hwyneb mor felynsych â llawysgrif Peniarth,
A'r Gymraeg ar ei gwefusau oedrannus yn Gymraeg
    Pantycelyn.
Darn o Gymru Biwritanaidd y ganrif ddiwethaf
    ydoedd hi.
'R oedd fy nhad-cu, er na welais ef erioed,
Yn ' gymeriad ' ; creadur bach, byw, dygn, herciog,
Ac yn hoff o'i beint ;
Crwydryn o'r ddeunawfed ganrif ydoedd ef.
Codasant naw o blant,
Beirdd, blaenoriaid ac athrawon Ysgol Sul,
Arweinwyr yn eu cylchoedd bychain.

Fy Nwncwl Dafydd oedd yn ffermio Tir-bach,
Bardd gwlad a rhigymwr bro,
Ac yr oedd ei gân i'r ceiliog bach yn enwog yn y
    cylch :
"Y ceiliog bach yn crafu
        Pen-hyn, pen-draw i'r ardd".
Ato ef yr awn ar wyliau haf
I fugeilio defaid ac i lunio llinellau cynghanedd,

Englynion a phenillion wyth llinell ar y mesur wyth-
saith.
Cododd yntau wyth o blant,
A'r mab hynaf yn weinidog gyda'r Methodistiaid
Calfinaidd,
Ac yr oedd yntau yn barddoni.
'R oedd yn ein tylwyth ni nythaid o feirdd.

Ac erbyn hyn nid oes yno ond coed,
A'u gwreiddiau haerllug yn sugno'r hen bridd :
Coed lle y bu cymdogaeth,
Fforest lle bu ffermydd,
Bratiaith Saeson y De lle bu barddoni a diwinydda,
Cyfarth cadnoid lle bu cri plant ac ŵyn.
Ac yn y tywyllwch yn ei chanol hi
Y mae ffau'r Minotawros Seisnig ;
Ac ar golfenni, fel ar groesau,
Ysgerbydau beirdd, blaenoriaid, gweinidogion ac
athrawon Ysgol Sul
Yn gwynnu yn yr haul,
Ac yn cael eu golchi gan y glaw a'u sychu gan y gwynt.

D. J. WILLIAMS, ABERGWAUN

(Ar ôl ymneilltuo o'r Ysgol)

'R wy'n cofio'r ceffylau yn Rhydcymerau
    Yn Y Gelli, yn Tir-bach ac yn Esgeir-ceir,
Yn llafurio trwy'r blynyddoedd digysgod, fel tithau,
    Yn ddyfal ac yn ddewr ac yn ddeir.

'R wy'n eu cofio yn llusgo'r aradr ar y llethrau
    Onid oedd eu ffolennau a'u hegwydydd yn fwg,
Ac yn tynnu'r llwythi ar y llwybrau trafferthus,
    Fel tithau, heb na grwgnach na gwg.

Cofiaf am straeon cyfarwyddiaid y fantell simnai,
    Yn enwedig ystorïau carlamus fy Nwncwl John ;
Yr un ddawn adrodd stori sydd gennyt ti â hwythau,
    Ond bod gwrtaith ysgol a Choleg wrth wreiddiau
        hon.

Gwrthodwyd rhoddi dirwest yng nghyffes ffydd y
        Capel,
    'R oedd syched gwair ac ŷd yn codi'r bys bach,
A rhaid oedd yfed peint yn y ffair wedi taro bargen ;
    'R wyt tithau hefyd yn yr un traddodiad iach.

Dy uchelgais di a mi oedd mynd i'r Weinidogaeth ;
    Dechreuaist ti arni, ond bu un tro trist,
Fe ddaliodd plismon di ar dy feic â'r lamp heb olau
    Nos Sul, ar ôl rhoi pregeth ar Oleuni Crist.

Nid wyf yn siŵr a oedd dy ddiwinyddiaeth yn union-
    gred
    Yn ôl barn hen wynebau'r tir coch a'r tir glas,
Ond cafodd y proffwyd ifanc mabolgampus,
    Ar ôl hyn, uwd gan y Brenin yn ei Blas.

Newid tresi a wnei di am dresi eraill,
    Canys fe wn i am holl egni dy ach ;
Ni ddaw segurdod i'r heulwen driugeinmlwydd
    Sydd ar dy wyneb ac yn dy lygaid bach.

Gŵr bonheddig ydwyt o'th sodlau i'th gorun,
    A thu ôl i'th swildod un o greigiau Shir Gâr ;
Fe ddygi'r Capteiniaid Ymerodrol i mewn i'r harbwr
    A Chymry ofnus y wlad i'r gorlan â'th ddycnwch
    gwâr.

Nid yw'r gwaith a wnaethost ti yn deilwng o dysteb,
    Ac ni chei di gan y Brenin y C.B.E. ;
Ond bydd y cyfarwyddiaid yn adrodd drwy Gymru
    Bedair Cainc dy fabolgampau a'th aberth di.

SIR FORGANNWG A SIR GAERFYRDDIN

Tomos Lewis o Dalyllychau,
   A sŵn ei forthwyl yn yr efail fel clychau
Dros y pentref a'r fynachlog ac elyrch y llyn ;
   Tynnai ei emyn fel pedol o'r tân,
   A'i churo ar einion yr Ysbryd Glân
A rhoi ynddi hoelion Calfaria Fryn.

   Dôi yntau, Williams o Bantycelyn,
   Yn Llansadwrn, at fy mhenelin,
I'm dysgu i byncio yn rhigolau ei gân ;
   Ond collwn y brefu am Ei wynepryd Ef
   Ar ben bocs sebon ar sgwâr y dref
A dryllid Ei hyfrydlais gan belen y crân.

   Ni allai'r ddiwydiannol werin
   Grwydro drwy'r gweithfeydd fel pererin,
A'i phoced yn wag a'r baich ar ei gwar :
   Codem nos Sadwrn dros gyfiawnder ein cri
   A chanu nos Sul eich emynau chwi :
Mabon a Chaeo ; Keir Hardie a Chrug-y-bar.

   Y mae rhychwant y Groes yn llawer mwy
   Na'u Piwritaniaeth a'u Sosialaeth hwy,
Ac y mae lle i ddwrn Karl Marcs yn Ei Eglwys Ef :
   Cydfydd fferm a ffwrnais ar Ei ystad,
   Dyneiddiaeth y pwll glo, duwioldeb y wlad :
Tawe a Thywi, Canaan a Chymru, daear a nef.

RHIANNON

F^E sefi di, Riannon, o hyd wrth dy esgynfaen,
  Â gwaed yr ellast a'i chenawon ar dy wyneb
    a'th wallt,
Ac yno yn Arberth drwy'r oesoedd ymhob rhyw
    dywydd
    Y buost yn adrodd dy gyfranc ac yn goddef dy
    benyd hallt.

Fe gariest ar dy gefn y gwestai a'r pellennig,
    Gweision gwladwriaeth estron a gwŷr dy lys dy
    hun,
Sacheidiau o lo a gefeiliau o ddur ac alcam,
    Pynnau o flawd a gwenith. Ni wrthododd yr un.

Y mae'r gwŷr a'th gâr yn magu dy blentyn eurwallt,
    Yn gwybod mai gwir dy gyfranc ac annheg dy
    sarhad,
A phan olchir gwaed yr ellast a'i chenawon o'th
    wyneb,
    Cei dy blentyn, Pryderi, i'th gôl ac i orsedd dy
    wlad.

CYMRU

GWLAD grefyddol gysurus oedd hi,
   A dyn yn feistr ar ddaear a nef,
Pan ddaeth dwy sarff anferth eu maint,
A'i boliau yn gosod y tonnau ar dân,
Ac yn bwrw eu gwenwyn ar ei thraethau yn lli.

Edmygai'r bechgyn eu cyntefigrwydd garw,
   A'u parlysu fel adar gan eu llygaid slic ;
Ac ymddolennai eu cyrff yn araf bach
Am droed a choes a chanol a gwddf,
A'u gwasgfeuon yn dychrynu'r bustach marw.

Yn gynt na'r gwynt ac yn welw ei liw
   Y rhedodd Laocôn yn ei phylacterau llaes,
Ac wrth geisio datrys eu clymau tyn
Clymasant ei draed a'i forddwydydd ef :
Nid oes a'u gwaredo ond ei ddwylo a'i Dduw.

ER COF

Am Ddafydd Lewis, Gwasg Gomer

Un â'i holl awch yn nulliau'i waith,—ei Wasg
    Oedd ei nerth a'i afiaith ;
  Ei graffter yn ei grefftwaith,
  Llun a lliw llinellau iaith.

Er i'r bedd yrru o'r byd—ei stori,
    A'i ystyriol wynepryd,
  Ar y silff erys o hyd
  Law ei foddus gelfyddyd.

T. GWYNN JONES

GWYNT digyngor fu'n torri
Awen ein brenhinbren ni ;
Aeth ei wybodaeth o'n byd
A'i afiaith o'n mysg hefyd ;
Darfu ei wylo dirfawr,
A mud yw ei chwerthin mawr ;
Ragor ni ddaw ei regi
Yn ei nwyd i'n hysgwyd ni ;
Y gwibdan is amrannau
A fu, ef a ddarfu wau ;
Ei ysgwydd yn gogwyddo,
Gwyrodd, gwargrymodd i'r gro,
Piler o gorff a dderyw,
Uchelwr, isel ŵr yw.

Ei enau oedd yn llawn iaith,
Yn llawn arddulliau heniaith ;
Heniaith helaeth a hylun,
Hi a wnâi farddoni'i hun.
Corddid ef gan y cerddi
A chain ias ei chanu hi,
Ar enau brwd ei rin brau,
A grym ei epigramau ;
Ar nwyd boethaf rhôi'r afwyn,
Ar war ffrwd hi a rôi'r ffrwyn.
Ei hafal nid oedd hefyd
I roi barn ar ddirdra byd ;
Hen drais a balchder oesoedd,

Dyn â'i helynt ynddynt oedd,
Ei ofn a'i ryfel a'i hedd
A'i ing hen ar gynghanedd ;
Anap a hap ei epil,
Hen drasedïau ei hil.
Iddo hardd ydoedd urddas,
Grym pendefigaeth a'i gras ;
Hanes hynod traddodiad,
Cryfder a glewder ein gwlad ;
Defod a moes hen oesoedd
Yn ei gorff a'i osgo oedd.
Cwyn arw oedd cwyn ei werin,
A thrwm ei thrafel a'i thrin,
Diawliai uwchben ei dolur,
Rhegi ei chyni a'i chur.
A Chymru oedd mor druan,
Wfft i'r gachadures wan ;
Na roed angerdd Iwerddon
Ym marw waed ac ym mêr hon.

Ac yna yn ei ganu
Ef a aeth at oes a fu ;
Canfu oleuni'r cynfyd,
Rhamantiaeth mabolaeth byd ;
Lluniodd genedl ddiedlaes,
Berffaith â'i holl obaith llaes,
Cymru nwyd ei freuddwydion,
Creadigaeth hiraeth, hon.

Daeth ar bob corff y gorffwyll,
E aeth y byd doeth o'i bwyll ;

Dyn nid oedd yn hanner duw,
Gwyddai nad oedd ond geudduw ;
Ei Dŵr Babel uchelfawr
Yn llwch a syrthiodd i'r llawr ;
A Chymru'r bardd a'i harddwch
Mawr i'r llawr a aeth yn llwch ;
Ellyll yn ei Afallon
Yn llwyr a wnaeth ddryllio hon :
Ar ei sêr tyf mieri,
Danadl ar ei hanadl hi.

Bu'n ymorol am olau
Ar ystyr y gwir a'r gau,
Ar y byd, ar wacter bod
A nod arfaeth ein dirfod :
Holi ffydd ac anffyddiaeth,
Deall, anneall a wnaeth ;
Holi diawl a holi Duw,
Gwirioniaid a gwŷr annuw ;
Holi hanes, a dilyn
Ffolineb, doethineb dyn.

Fel y Llywarch hybarchwedd
Oedd y bardd wrth bridd y bedd,
Yr un anhun a henaint
Oedd iddynt, 'r un hynt a haint ;
Trydar adar ar goeden
Uwch y bedd lle gorwedd Gwên ;
A, Wên, hen hogyn hygar
Gynt â'i golomennod gwâr ;
A Chynddilig fendigaid,

Na fai ŵr ef pan fu raid ;
Lladd trist oedd lladd y Cristion,
Â'i ffydd ddi-gledd, ddiwayw-ffon.
O'i waed Ef daw tangnefedd,
O'i Groes i bob oes yr hedd.

Athro hen, athro annwyl,
Nofia tair clomen wen, ŵyl
Uwch dinistr dall d'Afallon,
Yn nos hyll yr Ynys hon ;
Ehedant, gwibiant drwy goed
Dirgel uwchben lludw Argoed.

Nofia tair clomen wen wâr
Uwch dy dŷ di mewn daear.

IARLL DWYFOR

Buost yn dal yn dy law Armagedon y gwledydd
    Ac yn lolian yn y prif Seisnig esmwyth-feinciau,
Ond fe dynnodd Dwyfor di yn ôl yn dy ddiwedydd
    I glebran ar dy garreg â'i llecynnaidd ddŵr a'i
      cheinciau.

Ymysg y mawrion a'r arglwyddi 'roeddet ti yn od
    bererin,
    A dychwelaist cyn y machlud at dy dwr syml o
      gyfeillion,
I'r ardal lle bu'r ystorm yn torri coed-tân i'r werin
    A'r gormeswyr yn cywain yr ŷd, y gwair a'r
      meillion.

Diffoddodd yr Ymerodraeth y cwbl ond pregethau a
    cherddi,
    Ac yn ôl at dy angau gwledig yng Nghymru y
      daethost ;
Diolched Dwyfor iti am bob dim a wnest erddi
    A cherydded di hefyd am nas gwnaethost.

PROSSER RHYS

Y MAE bwlch mawr ar ei ôl yng Nghymru
    Ac anodd fydd cael neb i lanw ei le ;
Ni fydd ei swyddfa mwyach yn seiat
    Llenorion Gogledd a De.

Gyrrid y gwaed ifanc drwy ei wythiennau
    Gan guriadau A. E. Housman a Joyce,
Efaill y Cymro o Lyn Eiddwen
    Oedd y Llanc penfelyn o Sais.

Cymru a roes i'r Cardi ei foesoldeb,
    Hyhi a'i cododd uwch cythreuldeb rhyw ;
Ac anodd yw cerdded un o lwybrau Cymru
    Heb daro rywle yn erbyn Duw.

Llewyrched arno'r goleuni tragywydd,
    A boed iddo iechyd yn y Nef :
Fe welais y Llanc penfelyn o Amwythig
    Yn dawnsio yn ei ddicter ar ei feddrod ef.

LLYDAW

DAETH Llydaw alltud neithiwr tan fy nghronglwyd
    Ag ôl y barrau tywyll ar wyneb y gŵr ;
Daeth gwaed at waed, a Brython i aros gyda Brython
Er i bedair canrif ar ddeg gerdded dros y dŵr.

Gadawodd ei dylwyth a'i deulu tan ormes y demo-
    cratiaid,
A baban a aned pan oedd rhwng pedwar mur ;
Y mae dioddefaint yn ei fagu ar ei fynwes,
A dewrder yn canu hwiangerddi uwch ei grud.

Fe dyf ef yn llanc â'r haearn yn ei wythiennau,
Yn ŵr ifanc â'r dur yn ei lygaid, yn y man ;
Fe yf hen seidr arwyr cenedlaethol Llydaw,
A bwyta hen grempogau'r Saint a'r Santes Ann.

Fe arwain genedl at fedd yr Abbé Perrot,
(Sylfaen y Llydaw newydd yw mwrdwr y sant),
A bydd ' pardwn ' Llydaw gyfan yn llanw ei Eglwys,
A'r ffair, wedi'r offeren, yn llawn rhialtwch plant.

Y DRAENOG

F'ᴇ'ɪ gwelais ef echdoe ar fy ffordd i Nanteos
    Wedi ymbelennu yn ei bigog groen,
'R oedd sirioldeb yr haul arno yn syrffed
    A sgwrs yr adar uwch ei ben yn boen.

Fe guddiodd ei ben y tu mewn i'r crynder
    A hongian ei draed y tu mewn i'r drain ;
Nid rhaid symud i hel pryfed a llyffaint
    Gan fod ar ei bigau bantri o chwain.

Yn y tywyllwch crwn y llam y llyffaint
    Ac y cân brogaid a phryfed fel cloch,
A'r greddfau hen yn llifo fel dyfroedd
    Dwyfol, gwryw-gydiol a choch.

Ynddo ef y mae cyltau cyntefig y Congo,
    Demoniaid rhwydd y gwylltiroedd tan,
Miwsig yr eilunod ym Malaia a Tahiti,
    Duwiau a duwiesau silindrig Iapan.

Efe ydyw'r proffwyd ar adfeilion Ewrob,
    Cynddelw ei llên a'i chelfyddydau cain ;
Efe a lanwodd y gwacter lle y bu'r Drindod,
    O ! belen anfarwol. O ! dduwdod y drain.

Y SIPSI

G WELAIS hi neithiwr yn ffair Aberystwyth
Rhwng dau gyrten drws ei charafán,
Y tlysau Ishtarig ar ddwyrain ei mynwes
A'r modrwyau Pharoaidd ar ei bysedd tan.

Hi a dynnai o'r lleuad a'r deuddecsygn
Dynged gwragedd a merched â'i gêr ;
A chloddio i'r bêl a'r milgwn a'r ceffylau
Am y pentwr aur ym mhyllau'r sêr.

Pythia ddilesmair yn eistedd ar ei thrybedd
Uwch anwedd hynafol y pwll yn y llawr ;
I genhedlaeth heb ddoe, a'i heddiw yn wacter,
Hyhi yw Sibyl ei dyfodol mawr.

Gwyliai ehediad saethau ac adar
A dehongli'r craciau ym mhalfais yr hydd,
Tynnai frud o fustl ac afu'r defaid
A chladdu'r cadno byw yn y pridd.

Dewines Endor yr ugeinfed ganrif
Gyda'i llo bras a'i bara cri ;
Hi a ' gododd i Saul Samuel o'r ddaear
Ac a laddodd Hitler a Goebbels yn ein dyddiau ni.

Rhoddodd ŵr a ffortiwn i'r merched modern
O Lanfihangel Y Creuddyn a Llannon ;
Ei phelen yn llawn cyfrinachau Caldea
A hen ddewindabaeth Babilon.

DYN

F<small>E'TH</small> gaeaist dy hun yn dy dŵr di-ail
   O goncret, a phob drws ar glo,
Heb weled y dyfnderoedd o dan ei sail
   A'r sêr diwinyddol uwch ei do.

Gwan yw ei olau a'i awyr yn fwll,
   A thi'n hanner byddar a dall,
Yn ceisio concro'r cread yn dy dwll
   Fel duw bach gorffwyll a chall.

Nerfus dy gydwybod a dewr-lwfr dy lef,
   A chrŷn dy hollalluog law,
A'th wyddoniaeth yn ymbalfalu am ryw nef
   Y tu hwnt i'r atomau draw.

Darlunia dy gamera gysawdiau'r nen ;
   Ffon fesur dy fydysawd ydyw x ;
A'r bomiau atomig yn hongian uwch dy ben
   I droi dy fyd a'th nefoedd yn stecs.

I dir a môr y cyfynget gynt
   Yr angau mewn morgyrch a brwydr,
Ond rhoddaist iddo fynwentydd yn y gwynt,
   Rhwng y cymylau grematoria ffrwydr.

Canrif o ryfeloedd fydd ein canrif ni,
   Rhyfeloedd yr ideolegau llwyd ;
Daw rhoced mor gynefin â dŵr i ti,
   A bom mor gyfarwydd â bwyd.

Darfod a wnaeth dy wareiddiadau crand,
    Asyria, Yr Aifft, Babilon ;
Y mae ugeiniau ohonynt o dan y sand
    A degau o dan y don.

Newydd syrthio a wnaeth dy Fabel glyd,
    Ac y mae gwacter a siom a sioc :
Ond y mae arnat ddelw o'r tu hwnt i'r byd
    A llun sydd uwch cyrraedd y cloc.

NARCISWS

Dihangodd rhag safnau'r Lefiathan a'r Behemoth ;
    Rhag i'w enaid gael ei wasgu gan felinau'r
    gwaith tún,
A'i ysbryd gael ei daflu gyda'r ysgrap i'r ffwrnais ;
    Dihangodd i'r fforest i ymyl dŵr y llyn.

Ni ddôi yno'r un bugail gyda'i cifr a'i ddefaid,
    Na gwartheg i dorri eu syched ar ei lan ;
Ni thorrai'r un aderyn ar undonedd ei ddyfroedd,
    Ac ni ddôi'r haul drwy'r coed i gynhesu'r fan.

Cyneuodd dân rhwng esgyrn gwyryfol ei gariadferch,
    Ond ni fennai ei hymhŵedd a'i gweddi arno ef ;
Llithrodd y lleithder o'i hwyneb a'i chorff i'r awyr,
    Toddodd ei hesgyrn onid oedd hi yn ddim ond
    llef.

Dotiai ar lun ei wyneb yn nrych y dyfroedd,
    Y llygaid heb ynddynt lawenydd cymdeithas dyn,
Y genau heb ganddo brofiad i'w adrodd yn y seiat,
    Yr ên heb ganddi her i'w ddiddymdra ef ei hun.

Canolbwyntiodd arno onid aeth yn wacach, wacach,
    A'i wyneb hesb yn ddim yn nŵr y llyn :
Ac ar adfeilion ein gwareiddiad ni heddiw
    Tyf y blodau melyn â'r petalau gwyn.

PLENTYN

Dyro imi dipyn o'th syndod
   Wrth fodio llyfnder dy gnawd,
Rhyfeddod y traed a'r bysedd
   O'r bys bach i'r bys bawd ;
Byddi'n neidio wrth weled yr adar
   Ac yn crynu wrth ganfod y coed ;
Y mae gwartheg, defaid, ceffylau
   Yn wyrthiau ar bedair troed.

Ni wyddost ti ddim am yr Ego
   Fel y gŵyr ein hathronwyr ni,
Ac nid oes arnat chwant chwilmantan
   Am y wrach o Electra ynot ti ;
Ond fe chwerddi am fod gan bethau
   Eu llinell, eu llun a'u lliw ;
Aelod bach yn Urdd Sant Ffransis
   Yn dotio ar greadigaeth Duw.

CYMUN YR ARGLWYDDES

H YHI ydyw'r Gwanwyn, Y Fair fendigaid,
   Ei egni, ei ddireidi a'i drefn ;
Hi a luchiodd y gaeaf a'i holl dywyllwch
   Y tu ôl i'w gwyryfol Gefn.

Daeth cainc y cwlltwr a rhugl yr oged
   I'r meysydd rhwng Gwynedd a Gwent,
Ac fel fy nhad-cu yn Llanfihangel Rhos Y Corn
   Af i'w Chymun, ei chinio rhent.

Bydd yno gawl a chigoedd a llysiau,
   A sawl math o bwding ar y bwrdd,
A'r Arglwyddes Ei Hun yn dod rownd â glasaid
   O win i bob tenant cyn mynd i ffwrdd.

Y DDWY EFA

FE gysgodd Adda yn Eden,
　　A thynnwyd o'i ystlys wraig,
Hi a werthodd ein diniweidrwydd
　　A rhoi ein had i'r ddraig.

Fel y cysgodd Adda yn Eden
　　Y cysgodd y Crist yn y graig,
A thynnwyd o'r twll yn Ei ystlys
　　Y lanaf, perffeithiaf gwraig.

Hyhi ydyw'r Efa newydd,
　　Mam pob creadur byw ;
Hyhi a'n hadfer i Baradwys
　　Y dyndod perffaith yn Nuw.

YR ANIFAIL BRAS

Nɪ welais i ef erioed yn fy myw,
    Ac ni wn beth oedd ei lun a'i liw,
Ai du ai llwyd ai coch,
Beth, Eseia, oedd ei hanes a'i dras ?
    Yr anifail bras.

Cerddodd drwy'r canrifoedd i'w ffiaidd ffald
Yn Siberia, Belsen a Buchenwald,
Ac uwch Hiroshima goed
Y gollyngodd ei holl lysnafedd cas ;
Yr hen anifail bras.

Pe gwelai'r bwystfil Ei ogoniant Ef
A'r Groes yn clymu daear a Nef,
Gyda'r fuwch a'r ych a'r oen
Yr âi i bori ei borfa las ;
Yr anifail bras.

YR EGLWYS

Pebyll ar ochr Mynydd Y Gweddnewidiad ydyw'r
    Eglwys,
  Pebyll lle y mynnodd Pedr i'w bebyll fod,
Y Mynydd lle y tywynnodd Y Crist fel yr haul yn yr
    eira,
  Heb i'r eira oeri'r haul a heb i'r haul ddadmer yr ôd.

Buom yn y dyffryn gynt yn taranu ar ein bocsis sebon
  Yn erbyn Aifft y gweithwyr a brics di-wellt y
    meistri gwaith,
A gofyn i Engels a Karl Marcs, yn lle'r Crist ar y
    Mynydd,
  Ein harwain i'r Ganaan Gomiwnyddol ar ben y
    daith.

Drwy ffenestr labordy yn y pant gwelem batrwm y
    bydysawd,
  Patrwm fel patrwm carped, a'i flew yn atomau briw;
Efnisien ydoedd Elias, a Matholwch ydoedd Moses,
  Llef tafleisydd o Iesu oedd y llef o gwmwl Duw.

Dringasom gyda Hegel i'r Mynydd, ac Ysbryd o Grist
    oedd yno,
  Darn o'r Absoliwt di-grud, di-fedd, di-liw a di-lun,
Troi bryn a dyffryn yn fynydd, a'r mynyddoedd yn
    esgyn fel grisiau
  O'r isaf yn y cynfyd hyd at Himalaya perffeith-
    rwydd dyn.

Aifft newydd ydyw'r Ganaan, ac o'r carped daeth y
   bom atomig,
   A'r Absoliwt gwlanog ni cherddai drwy bechod a
   dyfnder bod,
Rhy dew yw cynfas y pebyll i weld yr haul yn yr eira,
   Bydd yr eira'n claearu'r haul, neu'r haul yn melynu'r
   ôd.

Pan deneuo'r Ysbryd y cynfas gwelwn mai creadigaeth
   yw'r bydysawd,
   Mai person ydyw'r gweithiwr am mai plentyn Duw
   ydyw ef,
A gweld Y Crist o'i Groes a'i Fedd yn esgyn fel
   gogoniant
   Yr haul yn yr eira clwyfus i oleuo'r seithfed Nef.

AMSER

Mor ddifyr yw gwylio holltaith cyflymdren
Amser
O'r orsaf gyntaf i'r orsaf olaf i gyd ;
A fydd ar ben y siwrnai ryw Baradwys berffaith
Neu ryw Armagedon yn dymchwelyd ein byd ?

Fe gais athronwyr a gwyddonwyr godi Amser
Oddi ar gefn ein cenhedlaeth ni fel llwyth :
Ond fel Tantalws gynt hyd ei ên yn annwn
Ni allant sipian y dŵr na chyrraedd y ffrwyth.

Mor wych a fyddai dywedyd wrth ryw funudyn,
"Aros, gyfaill, a gad i ni dy fwynhau,"
Ond cyn y gallwn roi ein llaw ar ei ysgwydd
Bydd yn bwyth yn rhyw batrwm wedi ei wau.

Fe ddaeth Ail Berson Y Drindod o dragwyddoldeb
A chanddo Ei raglen amser Ef Ei Hun ;
Daeth i'r un cerbyd â ni, ar hyd yr un rheilffordd,
I'r trên a gychwynnodd Ef ar y cyntaf ddydd Llun.

Dawnsiodd gwylmabsant o glociau o amgylch Ei
Groesbren,
Ac fe wenodd yr Angau â'i holl wyneb glas ;
Ond pan gododd Y Gwaredwr y trydydd dydd o'r
ogof
Fe droes y ddau unben yn ddau grwt o was.

Ac ar y diwedd fe fydd holl daith y canrifoedd,
Holl dipiadau'r cloc, yn un patrwm plaen ;
Holl hanes dyn a Natur yn un adeilad cytbwys
Yn sefyll yn sicr sad ar dragywydd gongl-faen.

Y CALENDR

Byddai ein dyddiaduron a'n calendrau ni
    Heb Y Crist a'i Apostolion yn foel,
Cerdd eu traed tragywydd ar eu misoedd hwy ;
    Y mae'r Efengyl yn hongian wrth hoel.

Gweryra'r meirch apocalyptig yn yr wybr,
    Ac y mae teyrnas Dafydd ar nesáu,
Ac wele Faban yn cogran mewn ystabl
    A'i gri wedi hollti'r canrifoedd yn ddau.

Daw'r gwanwyn i ystwytho'r cloddiau crimp,
    Ac adar i fywiogi awyr a gwŷdd ;
Ac wrth balu'r ardd fe gawn weled ôl
    Y Penliniau main yn y pridd.

Chwithig yn y gwanwyn yw cofio am Ei Groes,
    Yr ufudd-dod, y cernod a'r cwbl,
Ond fe ofalodd Duw ar y trydydd dydd
    Roi yn y calendr wanwyn dwbl.

Fe aeth â'r haf gydag Ef ym mis Mai,
    Ond daeth heulwen Yr Ysbryd Glân,
A ffraeth yw ffrwythlondeb y Pentecost,
    A'r Gymraeg yn un o'r tafodau tân.

Misoedd y dychryn yw misoedd yr hydref,
    Misoedd diwedd ein byd ;
Ac y mae'r Drindod wrthi hi yn ddistaw bach
    Yn y meysydd yn aeddfedu'r ŷd.

CWM YR EGLWYS

Nid oes yng Nghwm yr Eglwys ond un mur
O'r Llan wrth hen falchder y lli ;
Gollyngodd rhyw Seithennin donnau'r môr
Tros ei hallor a'i changell hi.

A wnei Di, Geidwad bendigedig,
Ysgubo'r eigion yn ei ôl ?
Ni chwardd y dyfroedd ar Dy Ben Di
Fel ar ben y brenin ffôl.

Ac yna fe ail-adeiladwn Dy deml,
Yn allor a changell a chôr ;
Ac fe drown-ni gors gywilyddus y Cwm
Yn ardd ffrwythau, lle bu'r môr.

Y PENSAER

Dysgodd yr Iesu ei grefft fel pob llanc
    Tlawd a chyfoethog yn ei wlad ;
Arferai drin coed a cherrig a chlai,
A dysgu cynlluniau a mesurau tai
    Yng ngweithdy ei dad.

'R oedd y tai yn brin yn nhref Nasareth,
    A'r gwaith yn bur galed a thrwm,
A phrysur oedd sŵn y trawslif a'r plaen,
A'r cŷn a'r morthwyl yn disgyn ar y maen
    Ac yn naddu'r plwm.

Wrth fwrw'r hoelion i mewn i'r pren
    Fe gafodd y prentis loes,
Fe welodd wrth forteisio dau ddarn
Waredwr ifanc yn bodloni barn
    Duw ar y Groes.

Wedi gorffen tŷ âi Ioseff a'i fab
    Oddi amgylch iddo am dro,
A chlywent yn ei wacter sŵn chwarae ac ysbonc
Y plant, a'u mamau â'u clec a'u clonc
    Ar wastadedd y to.

Melys i'r crefftwr ei swper a'i gwsg,
　　A'r diddanwch wedi gorffen ei dasg ;
　A hiraethai'r Iesu am yr hoen a'r hwyl
　Wrth ddilyn arferion a defodau pob gŵyl,
　　Y Pebyll, y Pentecost a'r Pasg.

Nid oes maen ar faen na phren ar bren
　　O'r holl dai a gododd i gyd,
　Ond fe erys adeiladwaith Ei Eglwys gain,
　A gododd gyda deuddeg o seiri coed a main,
　　Tan ddiwedd y byd.

LASARUS

D^{YN} a luniodd ei angau ef ei hun
    Fel clo ar stori fer, Amen ar ddiwedd cân ;
Neu osod ffrâm derfynol am ei lun
Neu godi'r lludw tua deuddeg i ddiffodd tân.
Cododd o'i fedd i ffyrnigo'r Phariseaid taer
A chychwyn Y Croeshoelio â'i ail-fyw ;
Gwelodd lawenydd arbennig ar wedd ei ddwy chwaer
A'r cyfaill annwyl ar ei aelwyd yn Fab Duw.
Fe âi am dro i weled ei fedd ei hun,
    Y bedd y byddai'n gorwedd ynddo yr ail dro ;
Bydd rhaid cael ffrâm o fwy i ddal y llun,
Ailganu'r Amen, a rhoddi dwbwl glo :
Da yw darllen ei lyfryn ef, a'r atodiad,
Gyda gwyddoniadur mawr Ei Atgyfodiad.

Y SWPER OLAF

IE, gwledd briodas oedd y Swper Olaf
   Yn yr Oruwch-ystafell am naw o'r gloch ;
Pen-blwydd y pla olaf cyn tynnu o Iehofa
   Ei Israel rhwng muriau hallt y Môr Coch.

Tynnai Israel oddi am ei bys ei modrwy briodas
   Pan werthai i'r duwiau ei chorff fel hŵr,
Ac ni fynnai gamu tros derfynau ei thririogaeth
   I sôn wrth ei chwiorydd am ogoniant ei Gŵr.

Ie, gwledd briodas oedd y Swper Olaf
   Cyn marw ar y Pren am dri o'r gloch ;
Gosod y fodrwy newydd cyn i'r Crist dynnu'i Eglwys
   Gatholig rhwng muriau hallt y môr coch.

CEILIOG Y GWYNT

'R WYT tithau erbyn hyn yn rhan o'r Eglwys,
 Fe'th godwyd o'th domen i'w thŵr ;
Fe roddwyd i tithau le yn Ei blan
Pan genaist ti ddwywaith yn y fan,
A throi calon yr hen Apostol yn ddŵr.

Geiliog Y Crist ar bigyn y tyrau,
 'R wyt ti yn dal i ganu o hyd ;
O Wynt, rho iddo ei hen ddawn a'i fedr
 I godi, fel o galon fyrboeth Pedr,
Y dagrau fioled i lygaid y byd.

CIP

Gwelaf genhedlaeth ar ôl cenhedlaeth o fyfyrwyr
yn dyfod
 Ac yn cilio, fel llanw a thrai yng Ngholeg y Lli,
A rhag y newid a'r symud a'r cyflymder fe giliaf
 I ryw graig wenithfaen droetsicr yn f'ysbryd i.

A ellir codi pont rhwng y rheswm cau a'r rhosyn ?
 Neu ai gwacter ydyw'r cwbl y tu allan i ddyn ?
Bydd gwacter bywyd, weithiau, ar f'ysbryd yn hunllef,
 A'r graig, hithau, yn f'ysbryd yn wacter blin.

Bu Darwin imi yn dduw, ac y mae Einstein yn ddirgel-
wch,
 Ai gan fathemategwyr y mae ein cyfrinach ni ?
Fe fynnwn fyd lle nad oes pwyso llwch mewn
cloriannau,
 A lle nad ydyw chwech yn dri ac yn dri.

Pe diosgwn ddail y rhosyn a thynnu pob petal,
 A llithro dros riniog ei lun a thrwy ddrws ei liw,
Fe welwn, y tu hwnt i bob synnwyr, syniad a dych-
ymyg,
 Y rhosyn noethlymun yn bwynt o oleuni byw.

Wrth wylio drwy'r blynyddoedd basiant yr holl
wynebau
 Fe wn fod rhywbeth ynddynt hwy i gyd ar goll,

Rhywbeth yn fwy na hwy ac yn ddyfnach na'u
    personau ;
  Y mae rhyw wyneb mawr y tu hwnt i'r wynebau
    oll.

Wyneb sydd yn aros tan gyflymder yr holl wynebau ;
  Wyneb syml a sengl tan symud lliw a llun ;
Gorllif creadigaeth Duw yw'r wynebau a'r rhosynnau;
  Duw yn unig a edwyn Ei Wyneb Ef Ei Hun.

Fe fynnwn, weithiau, gael cip, un cip, ar yr wyneb
    hwnnw,
  Ond ofnaf rhag imi fel Icarws orfeiddgar gynt
Syrthio, a'i gorff yn disgyn fel saeth i'r eigion,
  A'i adenydd yn blu ar chwâl yn y gwynt.

MAIR A'R MILWR

Y MILWR RHUFEINIG :

Rhoesom am ei gorff y llen borffor,
   Ac ar ei ben y goron ddrain ;
Gosod yn ei law ddehau gorsen
   O deyrnwialen fain :
Mor wych yr edrych yn ei regalia,
Cartŵn o dduwdod ein satwrnalia ;
   Addolwn a phlygwn iddo lin,
   Duwdod y greadigaeth grin ;
Brenin na frenin, a duw yn jôc,
Ein Sadwrn ni wedi cael strôc.

Pe deuet ti, Fair, y Rhagfyr i'n Rhufain
   Ti geit weled y duwdod byw,
   Duw dadeni ein byd.
Bydd pob siop a swyddfa a'r Senedd ar gau,
A'r bobl drwy'r dydd yn gamblo ar gnau ;
Dawnsio a neidio a llamu ymhob heol,
Y nwyd heb lyffethair a'r cnawd heb reol ;
Bydd ein byrddau yn gwegian dan y bwydydd bras,
A phob meistr yn gweini ar ei was ;
Daw yn ôl hen gyfiawnder yr euraid oes
Yn y taprau cwyr a'r delwigau toes.

MAIR FADLEN (*Ar ôl yr Atgyfodiad*) :

Ni allai holl rym eich Ymerodraeth
Gadw'r maen ar enau Ei fedd ;

Ni roddodd pryfedyn big yn Ei ddwylo,
  Ei draed a'i gorff a'i wedd :
Fe red y pryfed drwy eich holl lenyddiaeth,
  A naid y llyffaint o bwt i bwt ;
Ni allodd Sadwrn er ei holl ddadeni
  Blygu llieiniau'r bedd yn dwt :
Ond fe ddaeth y cartŵn o afael y pridd
    Â'r Gwanwyn o ddwylo'r Angau,
    A Bywyd o'i grafangau,
A dadeni dyn a'r byd y trydydd dydd.
A dywedodd wrthyf y câi Ei ddyrchafu
    At ein Tad ni a'i Dad Ef ;
  Mor wych yr edrych yn Ei regalia,
  Meseia a meistr ein satwrnalia
    Tragywydd yn y Nef.

Y MERTHYRON

COCH oedd yr Eglwys o'i phen i'w thraed,
   Llieiniau coch ar yr allorau,
Coch ar y pulpud a'r lletring fel gwaed,
   Gwaed ar y ffenestri a'r dorau.

Ffrydiai'r gwaed drwy estyll y llawr
   A rhedeg ar hyd yr eiliau ;
Gwaed y Gwaredwr a gwythiennau mawr
   Y merthyron oedd ei seiliau.

Dygn oedd eu dewrder ym more ein byd
   Wrth eu llusgo yn lluoedd o'u hannedd,
A'r llewod yn malu eu cnawd fel ŷd
   Ym melinau cyhoeddus eu dannedd.

Eu cadwyno i sefyll ar flaenau eu traed,
   Rhacio eu cyrff â chyllyll cïaidd ;
Torri eu dannedd, eu hwyneb a'u gwythi gwaed,
   A'u boddi mewn pydewau ffiaidd.

Dwbid eu cyrff â phyg ac â gwêr
   I hogi'r fflamau eiriasboeth,
Ond 'r oedd eu hwyneb yn haul a'u llygaid yn sêr
   Wrth byncio eu hemynau crasboeth.

     ★   ★   ★   ★

Gelynion gwyddonol yw ei gelynion hi,
   Meistri mwrdwr yr ymennydd ;

Cyfrwysach na'r fflam a llymach na'r lli',
  Mileiniach na melinau'r dannedd.

Holi a chroesoli a phob rhyw dwyll
  A chyffur yn eu troi yn ffyliaid ;
Y saint yn ferthyron yn eu pwyll,
  Yn y llysoedd yn euog benbyliaid.

Notgochi a wnânt ddeadelloedd Duw
  A rhoi Herod yn y corlannau ;
Rhoi cyflog a phensiwn i'r bugeiliaid, a byw
  Yn gaethweision cysurus yn Ei drigfannau.

Goleuid Seren Dafydd yng ngwedd
  Y bwystfil, a rhwng ei grafangau,
A'r lleian o Rwsia yn cymryd sedd
  Yr Iddewes yn nhrên yr angau.

Cerdd yr Eglwys drwy'r siambrau nwy,
  Y llysoedd, y gwersylloedd a'r beddrodau,
Ac esgyn yn rymus hardd ohonynt hwy
  Yng ngwisg ysgarlad ei merthyrdodau.

YR ERYROD

Hwynt-hwy sydd yn gwybod fwyaf am yr haul
A deall orau hen lawysgrif y cymylau ;
Hwynt-hwy y nos sydd yn pigo'r pendant sêr
Uwchlaw'r lleuad a'r amheus nifylau.
Fel yr eryrod, felly, hwythau'r saint.
Esgynnent hwy drwy awyr ein meidroldeb,
Trwy gredo, dogma, diffiniad ac iaith
I siarad â Duw ym maestrefi tragwyddoldeb ;
A disgyn oddi yno yn ôl i'n byd
Â'r goleuni yn gân yn eu harennau rhwyfus :
Rhoi'r cwbl i'r tlodion, a chot i dramp
A rhoi cusan ar rudd y gwahanglwyfus.
Nid oeddent ond niwsans mewn byd ac Eglwys
A hereticiaid yn ôl yr awdurdodau ;
Codent fel gwŷr busnes demlau Duw
A rhoi stigmata Crist ar ddwylo eu cyfnodau.
Aethant i'r cylch tân, a llosgi eu plu,
A chodi yn eryrod ifainc bendigedig,
A rheoli o'r Nef gyda Duw a Christ
Ein byd â chysgod eu hadenydd cysegredig.

*   *   *   *

Tithau, yr eryr aur, dy greulon aur
A fu'n tywyllu daear â'th adenydd,
Yn lladd cantiglau'r adar yn y coed
A mwrdro Magnificatâu eu llawenydd :
Rhoed tithau yn yr Eglwys gan Yr Ysbryd Glân
Yn ystlyswr cyson, call ac answyddogol,

Yn dal rhwng rhychwant dy adenydd dof
Gyfieithiad Cymraeg y Datguddiad Cristionogol.

*   *   *   *

Ioan yr Efengylydd ; brenin eryrod byd,
Efe a'm cododd uwchlaw'r clyfar gysgodau ;
Ei Gymraeg yn fy mwrw i lawr ag ergyd gordd
A chlirio'r dryswch rhamantàidd â bwyall ei adnodau.
Clwm cnawd ac ysbryd oedd y llinglwm tyn i mi ;
Ni allwn addoli'r cnawd, a chas oedd ysbrydolrwydd,
Ysbrydolrwydd a ddirmygai'r corff a'r wlad,
Nid oedd ond haen dros Seisnigrwydd a bydolrwydd.
Karl Marcs yn bwrw golau ar oesoedd y byd,
A rhoi i'r dyfodol ei economaidd dragwyddoldeb ;
Rhoi dyn yn lle Duw a'r werin ar orsedd Crist
A rhyfel yn torri yn rhacs jibi-dêrs eu dwyfoldeb ;
Gwrthod addoli Duw a cheisio addoli'r diawl
A gwau'r ddau yn anghenfil Hegelaidd, Kantaidd :
Methu cofleidio bywyd a methu anwesu'r bedd
Ac ar ecstasi'r foment dom y pryfed rhamantaidd.

*   *   *   *

Eryr apostolig ; f'eryr diwinyddol i,
Yn rhythu ar y Logos yn y tragwyddoldeb,
A hwnnw yn cerdded o gôl y Drindod bell
I wisgo cnawd, a sgandal ei farwoldeb.
Fe welodd yn Ei lygaid, Ei geg a'i gorff
Ogoniant, gogoniant megis yr Unig-anedig ;
Olwynai uwch Ei gelain feinwen ar y Groes
A gweld Ei feddrod yn wacter bendigedig.
Tynnodd Ef fara o fara a dŵr o ddŵr,
Goleuni o oleuni, ac o win win simbolig ;

Pedair mil ac arnynt newyn fel ein newyn ni
A borthwyd â bara dilwydni a physgod catholig.
Heddiw y mae Dydd Y Farn, nid oes yfory na doe,
Y mae tragwyddoldeb yn y cloc, a bywyd o farwol-
    aeth :
A chan na fyddai efe farw mwy
Gresyn nad ysgrifennodd lyfrgell o dystiolaeth.

Eryr ewcharistig, gorffwyset ar fron yr Haul,
A gwrando ar guriadau Ei galon fendigedig,
A chario rhwng dy blu y wennol, y robin a'r dryw
I gael cip ar Ogoniant megis yr Unig-anedig.

DEWI SANT

NID oes ffin rhwng deufyd yn yr Eglwys ;
    Yr un ydyw'r Eglwys filwriaethus ar y llawr
Â'r Eglwys fuddugoliaethus yn y Nef.
A bydd y saint yn y ddwy-un Eglwys.
Dônt i addoli gyda ni, gynulleidfa fach,
Y saint, ein hynafiaid hynaf ni,
A adeiladodd Gymru ar sail
Y Crud, Y Groes a'r Bedd Gwag ;
Ac ânt allan ohoni fel cynt i rodio eu hen gynefin
Ac i Efengylu Cymru.
Gwelais Ddewi yn rhodio o sir i sir fel sipsi Duw
Â'r Efengyl a'r Allor ganddo yn ei garafán ;
A dyfod atom i'r Colegau a'r ysgolion
I ddangos inni beth yw diben dysg.
Disgynnodd i waelod pwll glo gyda'r glowyr
A bwrw golau ei lamp gall ar y talcen ;
Gwisgo ar staeds y gwaith dur y sbectol a'r crys bach
    glas
A dangos y Cristion yn cael ei buro fel y metel yn y
    ffwrnais ;
Ac arwain y werin ddiwydiannol i'w Eglwys am-
    harchus.
Cariodd ei Eglwys i bobman
Fel corff, a hwnnw yn fywyd, ymennydd ac ewyllys
A wnâi bethau bach a mawr.
Daeth â'r Eglwys i'n cartrefi,
Rhoi'r Llestri Santaidd ar ford y gegin,
A chael bara o'r pantri a gwin sâl o'r seler,

A sefyll y tu ôl i'r bwrdd fel tramp
Rhag iddo guddio rhagom ryfeddod yr Aberth.
Ac wedi'r Cymun cawsom sgwrs wrth y tân,
A soniodd ef wrthym am Drefn naturiol Duw,
Y person, y teulu, y genedl a'r gymdeithas o gen-
    hedloedd,
A'r Groes yn ein cadw rhag troi un ohonynt yn dduw.
Dywedodd mai Duw a luniodd ein cenedl ni
I'w bwrpas Ef Ei Hun,
Ac y byddai ei thranc yn nam ar y Drefn honno.
Daeth dicter ar ei dalcen
Wrth ein chwipio am lyfu pen-ôl y Lefiathan Seisnig,
A'n gadael ein hunain, yn ei wlad Gristionogol ef,
I gael ein troi yn gŵn Pavlov.
Gofynasom iddo am ei faddeuant, ei nerth a'i lymder
A dywedyd wrtho, cyn ein gadael,
Am roi i'r Arglwydd Iesu Grist ein llongyfarchiadau
    tlawd,
A gofyn Iddo a gawn-ni ddod ato
I'w foli am byth yn y Nef,
Pan ddaw'r funud hiraethus honno
Y bydd yn rhaid dywedyd ' Nos da ' wrth y byd.

PLANT YR ALMAEN

Y MAE Rahel o hyd yn yr Almaen
    Yn wylo yn wanllyd a di-stŵr ;
Trugarocach ydoedd cleddyf Herod
    Na'r newyn ar y Rhein, yn y Ruhr.

Magu swp o esgyrn sychion
    A wna esgyrn breichiau hon,
Nid oes fawr o fwyd yn ei phantri
    Na diferyn o laeth yn ei bron.

Ac y mae'r gwŷr wrthi hi yn ceibio
    Y dialgar bridd a chlai,
Bydd yr elorau dipyn yn ysgafnach
    Am fod yr eirch dipyn yn llai.

Mae tosturi'r Crist ar Ei Groesbren
    Yn ffrydio o'i ystlys a'i draed ;
Pob angladd yn ddraen yn Ei benglog,
    Pob bedd yn ddiferyn o waed.

F. R. KÖNEKAMP

R HAID i artist farw yn ferthyr neu fyw yn fynach
   Neu'n hanner sant yn y byd ohoni yn awr ;
Daeth ef i Bwll Gwaelod yn Sir Benfro, o bobman,
Gyda'i frwsis tlawd, ei liwiau dewr a'i esgeulustod
   mawr.

Ni phlygodd i dynnu portreadau marw y mawrion,
Na derbyn shibolethau athrawon academi,
Ond byw yn ei gaban sinc i ddal yn ei luniau
Wyrthiau aflonydd yr haul ar dir a lli.

Gwelais ei frŵs yn dawnsio gan egni gorfoleddus,
Pob gewyn a chymal ar waith, a'i wyneb yn ysbryd
   byw ;
Dycnwch y mynach artistig a dawn y mathemategwr
Yn gosod ei simbolau yn nyfnderoedd llinell a lliw.

Tyf ei goed yn syth gan rymuster cyntefig,
Nawf ei bysgod yn ddeallus, a'r adar yn ometrig gôr ;
Rhuthra ei ystormydd yn gylchoedd o angerdd
   cytbwys,
Llif dros ei gynfas donnau'r haniaethol fôr.

Tynnodd lun yr egni atomig fel calon Natur
Calon ffrwythlondeb y byd, calon ei drasiedi drist ;
A llun seintiau ac artistiaid Gorllewin Ewrob
Yn nofio fel cyfryngwyr o amgylch El Grecoaidd
   Grist.

Tynnodd lun dcures o ddrysau cam y carcharau,
A phlethwaith o wifrau pigog yn goron ar eu pen ;
Ac ni wna'r arianwyr bach a'r gwleidyddion bitw
    ynddynt
Ond syllu ar fanana o loer yng ngwacter y nen.

El Greco yw ei feistr, artist y santeiddrwydd melyn,
Peintiwr wedi meddwi ar Ethsemane, yr hoelion a'r
    drain ;
Crëwr y Cristiau ystumig a'r seintiau ymestyngar
A'u hysbryd fel llafnau Toledo yn torri trwy'r wain.

Rhega wrth gofio am ei gyd-artistiaid draw yn Rwsia
Wedi eu caethiwo gan anghenfil fel Nebuchodonosor
    gynt ;
Yr arth dotalitaraidd yn cadwyno'r goleuni ar y Stepiau,
Yn crebachu brŵs a phaent ac yn mwrdro rhyddid y
    gwynt.

A beth am Gymru ? Ie, gwlad y goleuni cyfnewidiol,
Gwlad y llygaid marw a'r grefydd hacraf yn y byd ;
Eich artistiaid yn puteinio eu dawn a'u medr yn
    Llundain
A chelfyddyd wrth eu drysau, a'ch llên yn lluniau i gyd.

A beth am eich gwlad ? Ie, f'Almaen, yr ysgerbwd o
    Almaen ;
Gwlad y *volk*, gwlad fetaffisegol, a'r ddewraf yn y
    byd yw ;
Y mae'r artistiaid yn tynnu llun ei asennau a'i esgyrn
Am mai rheidrwydd ydyw art fel y fflach yn llygaid
    Duw.

I OFFEIRIAD Y DINISTRIWYD EI EGLWYS GAN FOM

(Cyfieithiad o Soned gan Reinhold Schneider)

Tı ydyw'r deml ar ôl ei dinistr hi,
   Ti yw'r golau gan nad oes golau mwy,
Man eu cyfarfod, man eu hundod hwy,
Y tŵr gweddi mewn gwlad heb dŵr wyt ti.

Ti yw caer ddycnaf Teyrnas Mab y Dyn,
Sy ddwfn yn y byd, na chaiff ond gwg ein byd ;
Â holl wae ein daear, a'i ddagrau i gyd
Dy wisg a wisg ei Brenin hi Ei Hun.

I'w lwybrau Ef y rhed dy lwybrau di,
Ti ydyw'r wawrddydd na all fachlud byth ;
Etholodd Amser di â'i gyntaf lef.

Na chrŷn o flaen ein barbareiddiwch ni ;
Syll ar y dychryn olaf yn dduwiol syth :
Mae Duw mewn poen ; diflenni ynddo Ef.

MÜNCHEN

Y MAE golwg druenus ar München,
  Traean y ddinas yn gydwastad â'r llawr,
Traean yn furddunod twp,
A thraean ar ei thraed.
Ni wyddwn wrth weled y torfeydd ar y strydoedd
Pa le yr oeddent i gyd yn byw,
Ond fe welais rai yn cripian drwy dyllau yn y llawr
Fel cwnhingod o fôn clawdd.
Ac ni wyddwn ple 'r oeddent i gyd yn addoli Duw
A chynifer o Eglwysi yn gandryll ;
Ac yn porthi newyn eu clustiau
A'r neuaddau cerdd yn yfflon ;
Ac yn disychedu eu llygaid
A'r orielau darluniau yn rhacs ;
Ac yn chwilio am wybodaeth a dysg
A'r Colegau yn jibi-dêrs.

Ac ynghanol yr adfeilion yr wythnos honno
Yr oedd yr *Octoberfest,*
Pythefnos o wylmabsant.
'R oedd yno firi a reiolti a rhialtwch :
Plant amddifaid yn chwerthin ar gefn ceffylau bach,
Gweddwon yn anghofio eu huffern wrth stondingau
      dillad a llestri,
Anafusion yn llawen wedi yfed y cwrw godidog ;
A'r bechgyn a'r merched yn canu caneuon gwerin
Ac yn dawnsio dawnsiau gwerin Bafaria.

Y mae rhyw allu yng nghalon dyn
I anghofio trasiedi gwareiddiad, am dro.
Yno yr oedd ffrwd o sbri yn treiglo
Trwy'r tomennydd rhwbel a'r anghyfanedd-dra
    gwallgof.
Yr *Octoberfest*
Yng nghanol ysgerbwd llosg llew o ddinas.

OBERAMMERGAU

B RAINT oedd cael pererindota i Fafaria
  I weled ar y llwyfan llw Basiwn Calfaria :
Teithio yn y trên yn ôl i'r Oesoedd Canol
Wrth draed y Zugspitze a'r Köpfel,
I blith gwerin fynyddig, goediog, grefftgar, Gatholig.
Nid oedd yn ei thir adnoddau diwydiannol.
I'r Mamon asynglust eu codi,
A sefydlu gwareiddiad modern y banciau
Ar dipiau glo, tipiau ysgrap a hofelau.
Fforestydd a ffermydd teulu oedd yno
A chrefftau gwledig, a thraddodiad canrifoedd y tu ôl
    iddynt,
A'r traddodiad hwnnw wedi ei ystwytho i gwrdd â
    phob gofyn.
Llunient deganau dihafal a chlociau,
A fiolinau byd-enwog ym Mitwald ;
A llunio hanes Yr Arglwydd ar bren, pres, lliain,
    llestri, sebon,
A cherfio Calfaria o gneuen.

Sut y gallai Catholigion mor ddidwyll
Fagu digon o gasineb yn y Ddrama i'w groeshoelio
    Ef ?
Gallai'r Phariseaid Marcsaidd dros y ffin
Ei boenydio a'i hongian Ef yn selog giaidd ;
A gallai'r Americaniaid yn eu mysg
Actio'r gwŷr busnes yn y Deml i'r dim ;
A byddai Ianci o Iwdas

Wedi taro gwell bargen â'r Archoffeiriad :
Ond ni allai na Moscow na Wall Street
Codi'r Crist, Mair Forwyn, Mair Fadlen a'r Apostol-
    ion.

"Pa bryd y daw'r rhyfel nesaf ?"
Oedd cwestiwn y brodorion,
Y rhyfel rhwng barbariaeth Mamon a barbariaeth
    Marcs.
Pe deuai, ac i'r bomiau atomig a'r rhocedi
Ladd pob copa walltog, a dinistrio'r Groes
Ar ben y Zugspitze a'r Köpfel ;
A delwau Mair a'r Plentyn yn yr ogofâu ;
A'r sgrinoedd ar ymyl yr heolydd ;
A'r lluniau o'r Geni a'r Swper yn y siopau,
A'r ffynnon o Grist ar sgwâr y pentref :
Fe ddeuai angylion o'r Nef
I blannu'r Groes ar ben yr adfeilion,
A gosod delwau Mair yn nhyllau'r murddunod,
A'r Apostolion a'r Saint ynghanol y rhwbel ;
A chlirio, ymhen deng mlynedd, lawr gwastad
I actio Drama Ei Basiwn ar Galfaria
Ynghanol diffeithwch Bafaria.

BACH

Pᴬᴺ fydd y byd arnom yn glefyd
   A'r diafol yn ein gwahanglwyfo hefyd
      Daw Iohann Sebastian Bach ;
Fe'n bwrir i lyn ei harmonïau,
A'n golchi â dyfroedd ei felodïau,
      A dod o'r olchfa yn weddol iach.

Sigla Mair ar y cyntaf Nadolig
Y crud yn yr ystabl â'i dwylo melodig ;
      Cân y Seren solo yn y nef ;
Daw'r angylion oddi fry â'u moliannau
I'w plethu â mawl y tomlyd gorlannau ;
      Cân y Doethion driawd iddo Ef.

Pa le y cawn-ni Oen i'w offrymu
Ar y Pasg ? Pwy a all ddiddymu
      Pechodau nadreddog dyn ?
Cân yn y cwpan y gwaed cysegredig,
A dawns ar y bwrdd y cnawd bendigedig ;
      Harmoni Duw yn y bara a'r gwin.

Disgyn nodau y miwsig llymaf
Ar ganol gardd y tawelwch trymaf,
      Ar unigrwydd gwaed a chwys ;
Paham na ddaw'r mellt a'r taranau,
Neu'r lleng angylion o'r uchelfannau,
      I ladd y Bradwr a milwyr y llys ?

Cria'r Crist yn rhythmig ar Galfaria,
A sylla'r cerddor drwy draethgan ac *aria*
 Ar y Traed yn pontio dyn a Duw ;
Ni fentra sbio fry ar Ei bangau,
Na chyfarfod â'r llygaid yn llawn angau
 Nac â'r drain a'r hoelion yn Ei wanu i'r byw.

Cân yn yr Eglwys drindod o organau,
A'i deuddeg colofn yn llyfn gan foliannau,
 A'i grisiau yn loyw gan ddefod a moes ;
Disgyn yr angylion i ymuno â'r corau,
A phlyg y greadigaeth wrth yr allorau,
 A'r Dwyrain yn gwynfydedigo'r Groes.